DIANA DE GALES

Lady Di, la princesa del pueblo

DIANA DE GALES

Lady Di, la princesa del pueblo

Por Audrey Schul
Traducido por Laura Soler Pinson

Historia **50MINUTOS**.es

DIANA, PRINCESA DE GALES

- **¿Nacimiento?** El 1 de julio de 1961 en Sandringham, en el condado de Norfolk (Reino Unido).
- **¿Muerte?** El 31 de agosto de 1997 en París (Francia).
- **¿Principales aportaciones?**
  - Primera esposa de Carlos, el príncipe de Gales (nacido en 1948), con el que tiene dos hijos, el príncipe Guillermo (nacido en 1982) y el príncipe Enrique (nacido en 1984), herederos de la Corona británica.
  - Modernización de la imagen de la familia real británica.
  - Cambio de la opinión pública sobre los enfermos de sida.
  - Concienciación global sobre el peligro de las minas antipersona.

«Goodbye England's rose
May you ever grow in our hearts...»

La canción *Candle in the Wind*, cuyo compositor Elton John (cantante, pianista y compositor británico, nacido en 1947) le dedica a su amiga la princesa de Gales en su funeral en 1997, aún resuena en la abadía de Westminster.

Diana Spencer, nombre de soltera de la conocida como Lady Di, sigue siendo sin duda alguna una de las princesas más famosas del siglo XX. De origen aristocrático, se casa a los 19 años con el futuro heredero de la Corona británica, el príncipe Carlos. Por desgracia, este matrimonio se aleja enseguida del cuento de hadas del que parecía estar sacado. El adulterio y los celos socavan a la pareja y conducen a su divorcio 15 años después, en 1996. A pesar de que su vida matrimonial ya está altamente mediatizada, la separación de la pareja principesca es carne de cañón para fotógrafos y periodistas. Diana se convierte entonces en una figura pública cuya vida aparece en artículos de prensa, fotos de revistas y telefilmes.

Más allá de esta incesante fama mediática, desempeña un papel importante en numerosas obras humanitarias, sobre todo en la erradicación de las minas antipersona y en la lucha contra el sida, en la que no duda en desafiar ciertas ideas preconcebidas.

El 31 de agosto de 1997, Diana y su nueva pareja mueren en un terrible accidente automovilístico en el túnel del puente del Alma en París. La tragedia golpea de lleno el corazón del pueblo británico. Tras su fallecimiento, la princesa tan querida por los ingleses recibe innumerables homenajes.

BIOGRAFÍA

| Lady Di en 1982.

DE NIÑA A *LADY*

Diana Frances Spencer nace el 1 de julio de 1961 en Sandringham, Norfolk (Inglaterra) en el seno de una familia aristocrática. Es la cuarta de los cinco hijos que conciben Edward John Spencer (1924-1992), el vizconde Althorp, y su primera esposa Frances Ruth Burke Roche (1936-2004). Diana crece en Park House rodeada por sus hermanas mayores Sarah (nacida en 1955) y Jane (nacida en 1957), y por su hermano menor Charles (nacido en 1964). En 1960, un año antes del nacimiento de la futura princesa, llega al mundo su otro hermano, John, que muere con tan solo unos meses vida.

UNA RESIDENCIA REAL

La residencia de Park House, donde nace y crece Diana, es propiedad de la familia real de Inglaterra. Sus abuelos maternos y sus padres la alquilaron a la reina durante muchos años. Se encuentra al lado de Sandringham House, la enorme mansión privada de los Windsor.

Diana cuenta con 7 años cuando, tras el adulterio de su madre, sus padres deciden separarse. En

1969, firman el divorcio. Cuando Albert Spencer (1892-1975), abuelo paterno de Diana, muere en 1975, su padre hereda el título de conde, lo que la convierte en una *lady*. Un año más tarde, el conde Spencer se casa en segundas nupcias con Raine McCorquodale (1929-2016), hija mayor de la famosa novelista Barbara Cartland (1901-2000). La nueva familia abandona Park House y se instala en su casa ancestral de Althorp, en el condado de Northampton.

| Barbara Cartland en 1987.

SU TRAYECTORIA ESCOLAR Y PROFESIONAL

Diana comienza su educación escolar en la escuela privada de Silfield en Gayton, en el condado de Norfolk (Inglaterra). A los 9 años abandona este centro para acudir al Riddlesworth Hall. A continuación se une a sus hermanas en la West Heath Girls' School en Sevenoaks, en el condado inglés de Kent.

La adolescente demuestra un gran talento para la música y resulta ser una pianista excepcional. También sueña con triunfar como bailarina. A los 16 años, en 1977, acude al Instituto Alpino Videmanette en Rougemont (Suiza), una institución privada para niñas de buenas familias. En

1978, regresa a Londres, donde reside su madre Frances, y realiza una serie de pequeños trabajos. Finalmente, Diana encuentra trabajo de niñera con una familia estadounidense y es maestra en el parvulario de la Young England School en Pimlico. Con motivo de su decimoctavo cumpleaños, su madre le ofrece un apartamento en el que vivirá hasta su nueva vida de princesa.

UNA VIDA DE PRINCESA

El futuro de Diana se transforma cuando tiene 19 años: la joven conoce al príncipe de Gales en noviembre de 1977. En esa época, él mantiene una relación con Sarah, la hermana mayor de Diana. Según la versión oficial, vuelven a verse tres años más tarde, en el verano de 1980, durante un partido de polo. Según la prensa, es entonces cuando se produce un verdadero flechazo.

Sin embargo, si analizamos más de cerca la historia de las dos familias descubrimos que los antepasados de la joven no son desconocidos para la familia real británica: la abuela materna de Diana, *lady* Fermoy (1908-1993), fue una de las damas favoritas de la reina madre Isabel (1900-2002), abuela del príncipe Carlos. La futura princesa de Gales debe contar con raíces aristocráticas y estar soltera, por lo que a la hora de buscar una novia para Carlos, la mirada de la familia real se vuelve hacia Diana Spencer, una joven guapa, discreta y de buena cuna. ¿El flechazo no habría sido tal y todo habría estado planeado de antemano? Hoy en día parece una evidencia, aunque nunca ha sido confirmado oficialmente.

Carlos presenta su novia a su familia un fin de semana en Balmoral (residencia escocesa de la familia real) en noviembre de 1980. Su compromiso se mantiene en secreto durante algún tiempo y finalmente se anuncia públicamente el 24 de febrero de 1981. La boda tiene lugar unos meses después, el 29 de julio, en la catedral de San Pablo de Londres. A través de esta unión, Diana se convierte en su alteza real la princesa de Gales, condesa de Chester, duquesa de Cornualles, duquesa de Rothesay, condesa de Carrick, baronesa de Renfrew, señora de las Islas y princesa de Escocia. Conservará estos títulos hasta el divorcio.

¿Sabías que...?

La boda, considerada el matrimonio del siglo, se transmite por televisión en todo el mundo y es vista por casi 750 millones de telespectadores. Sin duda alguna, el vestido de la novia —con su cola de ocho metros de largo— se ha convertido en uno de los más célebres de la historia. En cuanto a la alianza, está formada por 14 diamantes solitarios rodeados de zafiros y oro blanco. Unos años más tarde, este anillo volverá a ser usado por otra recién casada, Catherine Middleton, conocida como Catalina, duquesa de Cambridge (nacida en 1982).

El príncipe y la princesa de Gales se reúnen con el presidente estadounidense Ronald Reagan y su esposa, Nancy.

Al año siguiente, el 21 de junio de 1982, la nueva princesa da a luz a su primer hijo, el heredero al trono Guillermo. Un segundo hijo, Enrique (también conocido como Harry), nace unos años después, el 15 de septiembre de 1984. Al mismo tiempo, los cónyuges cumplen con las obligaciones de su estatus.

LOS CUENTOS DE HADAS NO EXISTEN

Por desgracia, la felicidad se va debilitando. Los códigos y las exigencias de la vida en la corte arrastran rápidamente a Diana a la depresión y la bulimia. En los noventa, la pareja reconoce que sufre algunos contratiempos. Sin embargo, la familia real británica sigue siendo una de las más mediatizadas de Europa, por lo que sus problemas matrimoniales se convierten rápidamente en carne de cañón de la prensa. A partir de entonces, los titulares de los periódicos internacionales toman el relevo, pero solo para dar parte de escándalos y dramas. Comienza una batalla despiadada entre Diana y Carlos: ambos se atacan mutuamente acusándose de adulterio.

De hecho, Carlos muestra un gran interés por otra mujer, Camilla Shand (futura Parker-Bowles, nacida en 1947), a la que conoce desde hace ya algunos años. La joven, juzgada insuficientemente aristocrática y despreciada por su franqueza, había sido excluida de las eventuales pretendientes del príncipe de Gales. Por su parte, parece que Diana también mantiene algunas relaciones extramatrimoniales.

«*Annus horribilis*», así es como la reina califica el año 1992, momento en el que tiene que enfrentarse a la separación de tres de sus hijos. El primer divorcio anunciado es el de su única hija, la princesa Ana (nacida en 1950) que se separa de su esposo, el capitán Mark Philips (nacido en 1948). Entonces llega el fin del matrimonio entre el príncipe de York, Andrés (nacido en 1960), el segundo hijo de la reina, y Sarah Ferguson (nacida en 1959), su esposa desde 1986. Por último, Carlos y Diana anuncian oficialmente su separación el 9 de diciembre en lo que es sin duda alguna el caso más mediatizado debido a la popularidad de la princesa. El divorcio tiene lugar en 1996. Diana pierde entonces su título de alteza real, pero sigue siendo miembro de pleno derecho de la familia real debido a su papel de madre de los futuros herederos. Conserva su condición de princesa de Gales sobre una base puramente honorífica.

¿SABÍAS QUE...?

Entre estos contratiempos se inmiscuye otro drama —no menos importante, porque afecta a un símbolo de la realeza británica—: una parte del castillo de Windsor es arrasada por las llamas. Una tragedia altamente simbólica en la que el historiador de las dinastías europeas Jean des Cars (nacido en 1943) declara: «Windsor en llamas es ver a la monarquía consumiéndose»[1] (Cars 2012, 425).

El castillo de Windsor es devorado por un incendio durante la noche del 19 al 20 de noviembre de 1992. Se necesitarán no menos de 15 horas para frenar las llamas, que dejan atrás un verdadero desastre: muchos cuartos (algunos de ellas muy antiguos) y valiosos elementos decorativos se reducen a cenizas. Sin embargo, se logra salvar miles

1. Cita traducida por 50Minutos.es

de obras de arte y parte de la biblioteca.

Las innumerables reparaciones concluyen en noviembre de 1997. Paradójicamente, todas estas renovaciones tienen consecuencias beneficiosas, ya que se lleva a cabo una extensa campaña de investigación arqueológica que permite una mejor comprensión de los orígenes del castillo de Windsor.

UN TRÁGICO DESTINO

A pesar de este divorcio con el heredero de la Corona británica, la nueva vida de Diana no la protege en modo alguno del fervor de los *paparazzi*. Sus nuevos idilios son observados con atención y ocupan el primer plano de los tabloides.

En julio de 1997, Diana inicia una relación con Dodi al Fayed (1955-1997), hijo de un multimillonario egipcio. Pero esta nueva relación amorosa no tendrá tiempo de florecer. El 31 de agosto, Dodi y Diana vuelven a intentar escapar de la locura mediática en París, ciudad en la que se encuentran de paso. Desgraciadamente, el coche en el que se encuentran choca accidentalmente contra uno de los pilares del túnel del puente del Alma. Dodi al Fayed y el conductor fallecen en el acto, mientras que Diana muere unas horas más tarde en el hospital Pitié-Salpêtrière de París. Su funeral se celebra el 6 de septiembre de 1997 en la abadía de Westminster. Actualmente descansa en Althorp, en una pequeña isla rodeada por un lago llamado The Round Oval.

Aún a día de hoy, el recuerdo de la princesa Diana sigue muy presente en el alma de los británicos, que la apodan la «reina de los corazones» (Bassets 2017).

CONTEXTO

TIEMPOS OSCUROS PARA EL PUEBLO INGLÉS

Reino Unido cuenta con un gran número de figuras femeninas emblemáticas que han dejado su huella en su historia. Aunque la princesa Diana ocupa un lugar especial en los años 80 y 90, hay otra mujer de la que no se deja de hablar: Margaret Thatcher (1925-2013).

«Miss Maggie», nombrada primera ministra del Reino Unido en 1979, se convierte en la primera mujer en dirigir el Gobierno de un país europeo. Su llegada al poder representa un importante punto de inflexión político debido al gran número de reformas radicales que introduce. De esta manera, se compromete primero a luchar contra la inflación, reducir los impuestos y privatizar las empresas públicas, pero también a reducir el peso de los sindicatos y el papel del Estado en la economía. Esta política augura tiempos difíciles para los británicos: la producción industrial cae y el desempleo crece vertiginosamente. Por lo tanto, este primer mandato resulta complicado y los resultados de estas reformas se hacen esperar. El descontento general está a punto de hacerse sentir.

| Retrato oficial de Margaret Thatcher.

La guerra de las Malvinas estalla el 2 de abril de 1982. Las islas Malvinas, posesiones británicas —llamadas Falkland Islands en inglés— son invadidas por Argentina, que reclama su soberanía. El conflicto termina dos meses después, el 14 de junio de 1982, con la derrota del ejército argentino. Además de devolver al Reino Unido un poco de la grandeza que había perdido, esta victoria impulsa la popularidad de Margaret Thatcher y le permite ser reelegida para un segundo mandato en 1983 y dar así un nuevo impulso a su política.

Pronto tiene que enfrentarse al descontento de los sindicatos. A raíz de la decisión del Gobierno de cerrar muchas minas de la industria pública, consideradas no rentables, los mineros británicos se declaran en huelga durante un año, de 1984 a 1985. Las autoridades se niegan a ceder. Los sindicatos, derrotados, salen debilitados de estas manifestaciones. La inseguridad laboral y la pobreza empeoran a pesar de que la productividad aumenta. En el corazón de todo esto, la economía inglesa toma aliento, pero se lo debe casi exclusivamente a la City y a las finanzas.

Margaret Thatcher comienza su tercer y último mandato en 1987. Tras la introducción de un nuevo impuesto local en 1990 —el impopular *poll tax* (impuesto de capitación), sustituto del impuesto sobre la vivienda—, su política monetaria no gusta a todo el mundo. Así es como la primera ministra anuncia su retirada del Gobierno en noviembre de 1990.

¿Sabías que...?

Hoy en día, Margaret Thatcher sigue siendo la primera ministra que más años ha estado al frente del Reino Unido desde 1868.

DE SÍMBOLO DE LA NACIÓN A ESTRELLA DE LA PRENSA DEL CORAZÓN

Si hay un elemento destacable en el contexto social que ha influido fuertemente en la historia de Lady Di, ese es el creciente peso de la mediatización, que hace que la soberana británica y sus seres cercanos se conviertan en celebridades.

La familia real de Inglaterra es, sin duda alguna, una de las monarquías más populares de Europa y del mundo. Despierta un considerable interés entre su pueblo, para el que es símbolo de tradición y unidad. Sin embargo, los miembros de la Corona también deben enfrentarse a las alegrías y a las penas de la vida. Algunas reacciones impactan, mientras que otras agradan. Sin embargo, este entusiasmo popular es versátil: a veces resulta favorable, pero en otras ocasiones es hostil. Tras sesenta años de reinado, Isabel II (nacida en 1926) —que llega a describir el año 1992 como «*annus horribilis*» debido a todas las desgracias que acaecen en el palacio de Buckingham— lo sabe muy bien. Pero la angustia de algunos es muy oportuna para otros, ya que la familia real británica sigue siendo el objetivo favorito de los medios de comunicación, con los que mantiene una larga y tumultuosa relación desde hace muchos años.

El rey Jorge VI fallece el 6 de febrero de 1952. Tras su muerte, la princesa Isabel —que entonces tiene 26 años— sube al trono real británico y se pone a la cabeza de la Commonwealth. Un año más tarde, el 2 de julio de 1953, la joven es coronada reina de Inglaterra en la abadía de Westminster y se convierte en la última gobernante coronada en el siglo XX. Este acontecimiento histórico se retransmite en directo en las pantallas de televisión de cinco países: Inglaterra, Francia, Bélgica, los Países Bajos y Alemania, que harán que Isabel II sea la soberana más fotografiada y mediática de la época. A partir de ese momento, tanto ella como su familia aparecen constantemente en los periódicos, sobre todo durante los momentos más duros.

La imagen de este modelo ideal de familia real contribuye a la estabilidad del país. Por desgracia, el título real no exime a sus miembros de sufrir los caprichos de la vida, y esta supuesta existencia ejemplar de la familia soberana pronto se ve empañada por algunas tribulaciones. Las relaciones amorosas y la tumultuosa vida de la hermana menor de Isabel II, Margarita (1930-2002), atraen la atención de los medios de comunicación y ocupan titulares de prensa, desacreditando parte de la familia real a ojos del pueblo. Desafortunadamente, la reina subestima la dimensión pública que adquieren los asuntos privados de la Corona.

En 1977 se celebra el 25.º aniversario del reinado de la soberana. Todas las festividades celebradas en su honor son un gran éxito y reafirman la popularidad de la reina. A pesar de esto, el peso de la cobertura mediática es tan grande que escapar se vuelve difícil. Los miembros de la familia real, en un principio símbolos de la nación, pasan a pertenecer al grupo de celebridades a nivel mundial, aunque todavía siguen rodeados de un cierto prestigio.

Este fenómeno se acentúa aún más con la llegada de Diana, esa hermosa mujer cercana al pueblo e infeliz en su rol de princesa y esposa. La mediatización desmedida de su complicada relación con su marido y con su suegra obliga a la gente a tomar partido, a menudo en detrimento de los Windsor, que se ven perjudicados por su actitud demasiado reservada, percibida como fría, hacia una Diana muy apreciada por los británicos. Las revelaciones sobre el adulterio de Carlos con Camilla no hacen más que aumentar la notoriedad de su esposa, mientras que la reputación de la reina y su familia se desmorona. Aunque la ciudadanía inglesa sigue estos escándalos con fervor, la monarquía británica, que supuestamente representa un ideal de estabilidad y tradición, pierde credibilidad.

MOMENTOS CLAVE

EL MATRIMONIO DEL SIGLO

Nada hace presagiar que Diana Spencer, una joven discreta y tímida, pertenecerá algún día a una de las familias reales más prominentes del siglo XX. La futura princesa de Gales, que nace en el seno de una familia aristocrática cuyos antepasados estuvieron al servicio de la Corona británica, conoce a su futuro marido oficialmente en 1977.

En ese momento, la familia real se muestra ligeramente preocupada por la relación que mantiene el futuro heredero —que en ese momento tiene 32 años— y una mujer casada, Camilla Parker Bowles. Para asegurar que el matrimonio de su hijo esté más acorde con su estatus, Isabel II trata de encontrar una pretendiente más «adecuada». La elegida es Diana Spencer, una joven de 19 años de buena familia. Aunque la prensa intenta vender este encuentro como un amor a primera vista, la realidad es diferente. Los Spencer no son desconocidos para la familia real: el padre de Diana es un antiguo escudero de la reina, y su hermano menor es ahijado de esta. Por tanto, ambos jóvenes ya se han visto muchas veces. Consciente del lugar que ocupa Camilla en la vida de Carlos, Diana acepta la propuesta de matrimonio del hombre que se convierte en su prometido en 1981.

Esta unión tiene un significado histórico, porque el último matrimonio de un príncipe de Gales data de 1863 (el del futuro soberano Eduardo VII, 1841-1910, con Alexandra de Dinamarca, 1844-1925). Los medios de comunicación y el entusiasmo popular por este matrimonio real no tienen precedentes. Como el número de invitados es considerable (2700), la ceremonia tiene lugar en la catedral de San Pablo de Londres, en lugar de celebrarse en Westminster, como lo quiere la tradición. La celebración es seguida por 750 millones de espectadores en todo el mundo, gracias a su retransmisión en 90 canales de televisión. Calificado de «matrimonio del siglo», al igual que el matrimonio de su hijo Guillermo lo será en el siguiente, esta unión hace que la casa de Windsor entre en la modernidad.

| Contraportada que contiene el vinilo de la grabación de la boda, realizada por la BBC.

UNA SEPARACIÓN Y UN DIVORCIO BAJO LOS FOCOS

La vida en la corte real enseguida resulta difícil. A pesar de su buena voluntad, a Diana le cuesta encontrar su lugar. Su salud también se revela frágil: padece bulimia y cae constantemente en el pozo de la depresión. A todo esto hay que añadir su ya complicada relación con el príncipe Carlos.

No obstante, estas dificultades pasan enseguida a un segundo plano durante el primer embarazo de la princesa. Su hijo mayor, Guillermo, nace el 21 de junio de 1982. Dos años más tarde, el 15 de septiembre de 1984, llegará Enrique, conocido como Harry. Diana, muy cercana a sus hijos, se implica de lleno en su educación y pocas veces la delega —a su marido o a la familia real—. Alejada de las convenciones y a pesar de las críticas, ella misma elige a sus cuidadores, sus escuelas, y no duda en llevárselos consigo en viajes protocolarios.

A pesar de la felicidad que le procuran sus dos hijos, la pareja va de mal en peor. El príncipe de Gales reanuda su relación con su antigua amante Camilla en 1987 y, a partir de ese momento, el matrimonio entre Carlos y Diana no es más que una fachada. Ambos se acusan mutuamente de adulterio: Carlos con Camilla, Diana con un tal James Hewitt (nacido en 1958). La agitación que vive la casa real es fuente de alegría para los medios de comunicación, que se apodera de ella y la difunde entre el gran público. Las publicaciones se multiplican. Un libro en particular cosecha un enorme éxito: se trata de la obra de Andrew Morton titulada *Diana, su verdadera historia*, en la que la princesa narra la historia de una mujer engañada que de ninguna forma puede contar con el apoyo de la familia real. También revela sus problemas de bulimia, su soledad y sus intentos de suicidio. Estas declaraciones provocan un inmenso escándalo. Ante la indecencia de sus palabras, Isabell II y su marido se ponen del lado de Carlos, mientras que la opinión pública apoya a la princesa herida.

El 9 de diciembre de 1992, el primer ministro John Major (nacido en 1943) anuncia la separación de la pareja, enfatizando en que no se trata de un divorcio. Continúan juntos con la educación de sus hijos y se presentan en pareja en determinados eventos nacionales o familiares. No obstante, cumplen con sus compromisos públicos por separado. A pesar de ello, los escándalos siguen estallando. La prensa publica una conversación íntima entre Carlos y Camilla del año 1989. Más adelante aparecen fotos de Diana, y después una entrevista que esta última concede a la BBC en la que relata sus contratiempos matrimoniales. Declara que no quiere divorciarse ni gobernar oficialmente, pero expresa sus dudas sobre la capacidad de Carlos para reinar.

Es la gota que colma el vaso. Por el bien de la monarquía, hay que poner punto final a estas luchas internas y a estos incesantes reproches. La reina es la que sugiere a su hijo y a su nuera que empiecen los trámites de divorcio. Después de esta decisión, que se convierte en definitiva el 28 de agosto de 1996, la educación de Guillermo y de Harry (15 y 12 años, respectivamente) sigue siendo responsabilidad de ambos padres. En cuanto a sus bienes, Diana mantiene sus oficinas en el palacio de Saint James y puede seguir viviendo en el palacio de Kensington. No obstante, pierde el título de alteza real, aunque conserva el de princesa de Gales.

¿SABÍAS QUE...?

Siguiendo una antigua tradición, los príncipes y las princesas de la familia real británica que son altezas reales generalmente abandonan su apellido en detrimento de Mountbatten-Windsor, que es el oficial.

El nombre de la casa real, Windsor, anteriormente Sajonia-Coburgo-Gotha, lo elije en 1917 Jorge V. De hecho, ansioso por aclarar su posición frente a su parentesco germánico tras la Primera Guerra Mundial (1914-1918), el gobernante británico decide sustituir este apellido alemán por otro típicamente inglés. Opta por Windsor, nombre de una de las emblemáticas residencias reales.

En 1960, Isabel II y su esposo Felipe (nacido en 1921) deciden a su vez crear un apellido reservado a sus descendientes directos. Este estará compuesto por el patronímico de la casa real —que permanece inalterado— y por Mountbatten, apellido original del príncipe Felipe.

A pesar del divorcio, el príncipe Carlos y su exmujer siguen siendo tan novelescos como siempre. La vida personal de Diana sigue atrayendo el interés de la prensa, y se convierte en una de las mujeres más fotografiadas del mundo.

Isabel II, que la acusa de complacerse en estas provocaciones para vengarse de la familia real, considera insoportable que todos estos medios de comunicación narren con todo detalle los nuevos amoríos de su exnuera.

LA REALEZA ROCANROL

El 24 de febrero de 1981, cuando el príncipe heredero Carlos anuncia oficialmente su compromiso con *lady* Diana Spencer, estalla todo un torbellino mediático y popular inesperado en torno a la joven pareja. Unos meses más tarde, el mundo entero es testigo por televisión de la boda, un acontecimiento que queda para la historia: el famoso instante en el que los recién casados se besan en el balcón del palacio de Buckingham constituye una escena inédita. A partir de ese momento, la pareja de príncipes seduce a los británicos, que desean estar informados de todos sus movimientos.

| Los príncipes de Gales de vista en Alemania en 1987.

Al mismo tiempo, en la escena cultural, la década de los ochenta trae consigo muchos cambios en el ámbito de la música y de la moda. La apariencia y la indumentaria son cada vez más importantes, y los medios de comunicación lo aprovechan, algo que se refleja en revistas y campañas publicitarias.

A partir de entonces, el entusiasmo se hace palpable cuando Diana, que ya es el blanco de los *paparazzi*, decide liberarse de los códigos impuestos en la corte adoptando un estilo elegante más moderno.

| Lady Di en la portada de *Vogue* en mayo de 1993.

Se convierte en el modelo a seguir y traslada a la moda una imagen de lujo. Sus trajes, repletos de detallas y comentados por los medios de comunicación, encarnan entonces el estilo británico en todo el mundo, un estilo al que la revista *Vogue* se referirá en inglés como «rock'n' royalty» («realeza rocanrol»).

La princesa encaja perfectamente con esta década en la que los excesos de la moda o de la música son un intento por alejar u ocultar los tiempos difíciles. Diana, una joven de naturaleza frágil y afable para quien la promesa de vivir una vida de cuentos de hadas se desmorona muy a su pesar, trata de sobrevivir aprovechando al máximo lo que su época tiene para ofrecerle.

Con el paso del tiempo y desafiando las reglas, logra imponerse gracias a su carisma y a su filantropía. El amor por sus hijos o el fracaso de su matrimonio son solo algunos de los elementos que contribuyen a que la princesa, considerada una alteza moderna, sea vista como una persona normal y corriente a pesar de su rango. Algunas personas reciben muestras de interés por parte de Diana cuando atraviesan momentos duros, lo que les ayuda a aliviar su pena. Esta benevolencia, elegancia y voluntad férrea son cualidades que la convierten en un icono de modernidad, moda y amabilidad.

| Fotografía de la princesa como icono de moda para la revista *Vanity Fair*.

CAUSAS DEFENDIDAS A TODA COSTA

Como princesa real, Diana hace numerosas apariciones públicas, especialmente en escuelas y hospitales, para apoyar a varias asociaciones caritativas. Se convierte en presidenta de numerosas organizaciones benéficas que ayudan a niños enfermos, personas sin hogar y drogadictos. Estos compromisos la llevan a viajar por todo el mundo y le permiten reunirse con famosos representantes de estas organizaciones. En 1992, durante una de estas visitas a un hospital en Calcuta (India), Diana conoce a la Madre Teresa (1910-1997), con quien mantiene un vínculo de amistad hasta su muerte.

| Lady Di y la Madre Teresa.

Durante una breve estancia en Rusia en 1995 en el marco de una visita a niños enfermos, la princesa recibe el prestigioso premio internacional Leonardo, una recompensa que se entrega a personalidades distinguidas o a mecenas en ámbitos como el arte, la medicina o el deporte.

El compromiso de la princesa Diana con los pobres va más allá de su función real. En privado, la soledad la consume, pero logra olvidar sus problemas personales ayudando a las víctimas que más sufren. Esta implicación humanitaria resulta de utilidad a la monarquía, que suele desempeñar un papel mucho más representativo en las obras de caridad. Gracias a su dedicación a los demás, la princesa se convierte en una mujer conquistadora y comienza a ocupar una posición fuerte.

Por supuesto, no es la primera que se implica en este tipo de causas. No obstante, sí que es la primera en aprovechar hasta ese punto su popularidad para defender determinadas causas. Los mismos medios de comunicación que exponen su vida a ojos del mundo van a resultarle de utilidad. No duda en valerse de micrófonos y cámaras para apoyar las batallas que más le conmueven. Además, Diana no solo actúa a través de las palabras, sino que también acude al terreno a pesar del peligro que esto puede suponer, como hace durante su viaje a Angola para luchar contra las minas antipersona. Para la princesa, las fotografías y los testimonios de estas campañas humanitarias y caritativas son una manera de poner su fama al servicio de las causas que defiende.

A pesar de su divorcio del príncipe Carlos, Diana considera importante mantener su compromiso con estas asociaciones, aunque reduce la amplitud de sus colaboraciones. De esa manera, puede dedicarse plenamente a las causas que más le preocupan, como la lucha contra el sida y las minas antipersona.

El virus del sida

Los años ochenta son un período de gran importancia en lo relativo a la evolución o aparición de ciertas enfermedades. Este es especialmente el caso del sida (síndrome de inmunodeficiencia adquirida). El brote de la epidemia nace en 1981 en varias ciudades estadounidenses. Después de numerosas y minuciosas investigaciones científicas, los médicos diagnostican el origen viral de la enfermedad. En 1986, los investigadores denominan al virus del sida «VIH» («virus de inmunodeficiencia humana», «HIV» en inglés). Con el tiempo, la epidemia evoluciona y enseguida se convierte en una pandemia. La Asamblea General de las Naciones Unidas reconoce la gravedad de la situación y se reúne el 26 de octubre de 1987 para pedir a todos sus Estados que combatan la epidemia. A partir de ese momento, la ONU crea un programa, ONUSIDA, cuya prioridad es la lucha contra esta terrible enfermedad.

Muchas celebridades, entre ellas la princesa Diana, deciden prestar su ayuda y su apoyo a la causa. En 1989, ayuda a abrir un centro de ayuda a las víctimas del sida en el sur de Londres. También destaca en su visita a Washington D. C. a la Grandma's House, un hogar para jóvenes víctimas del virus, cuando sostiene en brazos a una niña infectada. Además, desempeña un papel crucial en el cambio de la opinión pública sobre los afectados. De hecho, en esa época, muchas personas creen que el virus se contrae con el simple contacto con una persona seropositiva. En 1991, durante una misión a São Paulo (Brasil), Diana decide poner fin a esta creencia al dejarse fotografiar con un bebé portador del virus en sus brazos o estrechando la mano a una persona seropositiva. Las imágenes dan la vuelta al mundo.

A través de estos gestos aparentemente insignificantes, la princesa desea sensibilizar a la opinión pública mundial sobre el aislamiento que sufren los enfermos. Una vez más, retoma el juego de los medios de comunicación para concienciar sobre las víctimas del sida. Estas fotografías también suscitan la cólera de la reina Isabel, que no aprueba el interés de su nuera por la causa. Le aconseja que opte por organizaciones benéficas más agradables, lo que no hace más que animar a Diana a continuar con los compromisos que ella misma ha escogido.

En marzo de 1997, pocos meses antes de su muerte, se embarca en un viaje a Sudáfrica, donde se reúne con el presidente Nelson Mandela (1918-2013) con el objetivo de colaborar con él en la búsqueda de fondos para ayudar a las personas afectadas por el sida.

Las minas antipersona

Otra causa noble que despierta el interés de la princesa es la de las minas antipersona. Como patrocinadora de la organización The HALO Trust, se reúne con las víctimas e investiga sobre los futuros proyectos de desminado. Asimismo, apoya distintas campañas de sensibilización y educación sobre los diversos peligros de estas minas.

The HALO Trust

The HALO Trust es una organización fundada en 1988 por Colin Mitchell, su esposa Susan Mitchell y Guy Willoughby. Los tres son testigos de los daños que provocan las minas antipersona y los fragmentos de otros explosivos tras la guerra entre Afganistán y la URSS en 1988. Por lo tanto, deciden actuar juntos contra estas catástrofes. Con el tiempo se amplían tanto el alcance como la cobertura de su misión, además de su equipo.

En 2009, tras una guerra civil en Sri Lanka, estos voluntarios humanitarios consiguen destruir 100 000 minas antipersona, lo que permite a la población local regresar a sus hogares en condiciones de seguridad. The HALO Trust realiza actualmente acciones en Siria y Ucrania.

En enero de 1997 emprende un viaje a África, concretamente a Angola. Como parte de esta misión, la princesa de Gales vuelve a ser el centro de todas las miradas: aparece en varias imágenes en un campo de minas, con casco y chaleco antibalas, ofreciendo así una imagen muy alejada de las convenciones.

En agosto del mismo año, poco antes de su muerte, viaja a Bosnia y Herzegovina con la Red de Supervivientes de Minas Antipersona (Landmine Survivors Network). Su atención se centra en el daño físico causado por estas armas, especialmente a los niños, y con ello intenta demostrar y revelar su costo humano para lograr eventualmente que su uso se prohíba en todo el mundo.

El compromiso de Diana con estas batallas, ya sea la lucha contra el sida o contra las minas antipersona, tendrá un considerable impacto social y político.

GOODBYE, ENGLAND'S ROSE...

A pesar de los muchos momentos culminantes que salpican la vida de la princesa Diana, uno de ellos permanecerá para siempre grabado en la memoria del mundo entero: su trágica muerte el 31 de agosto de 1997. El accidente se produce en París durante la noche del sábado 30 al domingo 31 de agosto, en un túnel del puente del Alma. Desde su divorcio con Carlos, la vida amorosa de Diana nunca deja de interesar a los medios de comunicación. El menor de sus movimientos ocupa todos los titulares y, además, el príncipe de Gales ya no esconde la historia de amor que vive con Camilla. La prensa ya no sabe hacia dónde dirigir su atención.

En julio de 1997, la princesa exhibe su nuevo romance con Dodi al Fayed, uno de los hijos de Mohamed al Fayed (nacido en 1929), un rico empresario egipcio. Ambos pasan el primer mes de verano con Guillermo y Harry en Saint-Tropez. Mientras estos dos últimos se reúnen con su padre en la residencia de Balmoral en agosto, Diana y Dodi pasan tiempo juntos por la costa de Cerdeña en un crucero romántico que, por supuesto, no escapa a los agobiantes objetivos de los *paparazzi*. Aprovechando una corta estancia en la capital francesa, la pareja se traslada al hotel Ritz, propiedad del padre de Dodi. Alrededor de la medianoche, por una razón aún desconocida, Diana y su amante suben a un coche conducido por un tal Henri Paul, bajo la mirada vigilante de un guardaespaldas. El vehículo, que va a toda velocidad, se estrella poco después contra un pilar del túnel. El golpe es brutal: mientras que Dodi al Fayed y el conductor pierden la vida en el acto, la princesa, gravemente herida, es trasladada al hospital Pitié-Salpêtrière de París. Se informa rápidamente a la reina Isabel II y al presidente francés Jacques Chirac (nacido en 1932) de la mala noticia. A pesar de los intentos por salvarla, Lady Di fallece por la noche a los 36 años. La reina británica recibe la confirmación al instante.

Después de la muerte inesperada de la querida *lady*, los homenajes se multiplican, tanto a nivel nacional como global. El funeral tiene lugar el 6 de septiembre de 1997. Ante los ojos de un pueblo británico herido, el cuerpo de la princesa es trasladado a la abadía de Westminster rodeado por Carlos, sus dos hijos, la reina de Inglaterra y su marido Felipe, la reina madre Isabel y su hermano y hermanas. Allí tiene lugar una ceremonia llena de emoción donde se suceden discursos y expresiones de afecto por parte de los muchos amigos de la difunta. El funeral se lleva a cabo lejos de la multitud y de los medios de comunicación, en Althorp, hogar de la familia Spencer desde hace siglos. La princesa Diana descansa desde entonces en este lugar, en una pequeña isla situada en medio de un lago dentro de un parque. Este es el lugar que elige lord Spencer, su hermano, para proveer un lugar privado de recogimiento para los hijos y familiares de la princesa Diana.

REPERCUSIONES

POLÉMICAS TRAS UNA MUERTE SOSPECHOSA

Es probable que el destino sea el único culpable de la trágica muerte de la princesa Diana. Sin embargo, han surgido muchas teorías, a veces descabelladas.

Aunque las autoridades concluyen rápidamente que se trata de un accidente, las circunstancias del mismo son objeto de acalorados debates durante mucho tiempo. En este sentido, una hipótesis busca destacar el papel de un grupo de *paparazzis* que persiguen en moto el coche de los amantes, pero esta versión será desacreditada, mientras que otra se refiere al estado de embriaguez del conductor, ya que algunos testigos afirman haberle visto borracho antes de ponerse al volante. En el transcurso de la investigación y tras declaraciones por parte del personal del hotel y la realización de varios análisis de sangre, se confirmará que el conductor había tomado alcohol esa noche y que también había ingerido medicamentos.

Más allá de la teoría del accidente, algunos lo ven como un ataque, mientras que otros no dudan en considerar que se trata de una conspiración. ¿Avergonzarían las acciones de la princesa en su lucha contra las minas antipersona a algunos líderes? Incluso la familia real llega a ser acusada cuando algunas fuentes afirman que la Corona habría pedido su ejecución al tratarse de un elemento demasiado incómodo.

| Memorial de la muerte de Diana y Dodi en Harrods, construido en 1998 por el padre de Dodi, Mohamed al Fayed, entonces dueño de los grandes almacenes de Londres.

A pesar de las muchas suposiciones que se han hecho y de la falta de pruebas irrefutables, la tesis del accidente es a día de hoy la aceptada. Por su parte, el padre de Dodi al Fayed sigue convencido de que se trata de un asesinato. El misterio permanece intacto.

HACIA LA RECONCILIACIÓN MEDIÁTICA

La trágica muerte de Lady Di en 1997 sacude al mundo entero, causando una emoción generalizada que afecta tanto a ciudadanos anónimos como a los seres queridos de la princesa. Las señales de simpatía y de afecto que muestra el pueblo inglés contrasta con el silencio en el que se encierra la Corona.

La reina y los miembros de la familia real guardan silencio frente a la angustia de sus súbditos, algo que no está exento de consecuencias. La fría reacción de Isabel II ante la trágica muerte de una mujer a la que la prensa ya no duda en tratar de ídolo empaña la imagen monárquica. Es la primera vez desde su coronación que Isabel II se enfrenta a la hostilidad de su pueblo. ¿Cómo puede esta reina, tan atenta a las desgracias del reino, permanecer tan distante ante tanta tristeza generalizada? Lo cierto es que, a lo largo de su vida, Diana ocupa un lugar especial en el corazón de los ingleses, lo que a menudo socava la popularidad de la soberana —que, no obstante, también es muy querida—. Por consiguiente, esta «indiferencia» real enseguida se percibe como un abandono.

Posteriormente, las repetidas apariciones y los mensajes de compasión de la reina, que sin duda alguna llegan demasiado tarde, no logran borrar el resentimiento de su pueblo. Sobre todo porque el recuerdo de la princesa sigue estando muy presente: en 1999, el diario *The Times* posiciona a Diana como una de las personalidades más importantes del siglo XX. En 2002, una encuesta de la BBC la sitúa en el tercer lugar entre los 100 ingleses más famosos, colocándola por delante de la reina. Stephen Frears (director británico, nacido en 1941) refleja a la perfección este malestar en su película *La reina*, estrenada en 2006.

La reconquista de la opinión pública es larga y difícil. En 2002, la muerte de la reina madre, símbolo de la unidad nacional, y la de la hermana de la reina, Margarita, inicia la tendencia a restablecer el apego del pueblo británico por su soberana.

La confianza se restablece en 2011 durante un gran evento altamente esperado: la unión del primer hijo de Diana y Carlos, Guillermo, con Catherine Middleton (nacida en 1982) en abril de 2011.

| Los británicos se congregan para asistir a la boda de Kate y Guillermo.

Ese año, una encuesta revela que el 76 % de los británicos están a favor de la Corona. El evento atrae a 2000 millones de telespectadores de todo el mundo, una audiencia cuatro veces mayor que la del matrimonio entre Carlos y Diana 30 años antes.

Se anuncian nuevos tiempos para la monarquía inglesa, que ve cómo su popularidad se dispara. Enseguida nace una nueva generación con el nacimiento del primer hijo de Guillermo y Kate el 22 de julio de 2013, Jorge, seguido en 2015 por su hermana menor, Carlota Isabel Diana.

SEGUNDAS NUPCIAS PARA CARLOS

Desde su primer encuentro en un partido de polo en 1971, la cercanía que se crea entre Carlos y Camilla nunca se rompe, ni siquiera durante sus respectivos primeros matrimonios. Esta inoportuna complicidad conduce, por supuesto, a innumerables escándalos durante la vida marital de Carlos con Diana, debido al estatus real de la pareja y a la popularidad de Lady Di. Camilla se divorcia en 1995 y el príncipe de Gales en 1996, pero no es hasta el 9 de abril de 2005, 34 años después de su encuentro, cuando los amantes finalmente pueden unirse en matrimonio.

Aunque Carlos conserva su título de príncipe de Gales, Camilla, que se convierte automáticamente en princesa de Gales en virtud de su matrimonio, se niega a usar este nombre —probablemente con el objetivo de demostrarle a la gente que no reclama el lugar de Diana—. Por lo tanto, será su alteza real la duquesa de Cornualles. Esta unión, que muchos consideran indignante, causa una gran controversia. Al principio, el pueblo británico acoge con frialdad a Camilla, considerada la principal culpable de la ruptura del matrimonio entre Carlos y Diana. De hecho, a pesar de los ocho años que separan estas segundas nupcias del fallecimiento de Diana, a la gente aún le cuesta perdonar los errores cometidos en el pasado. Sin embargo, el tiempo cura las heridas, y Camilla ha logrado poco a poco hacerse un hueco en el corazón de sus conciudadanos.

UN PREMIO NOBEL DE LA PAZ

Además de su carisma y su bondad, Diana demuestra ser una persona combativa cuando están en juego causas humanitarias que considera importantes. Las muchas imágenes en las que aparece con personas seropositivas tienen un gran impacto en la campaña de sensibilización contra la enfermedad.

Su otro gran compromiso, el de la lucha contra las minas antipersona, es igualmente importante: el Tratado de Ottawa (también conocido como Convención de Ottawa) se firma el 3 de diciembre de 1997 y entra en vigor un año y medio más tarde, el 1 de marzo de 1999. Se trata de un tratado internacional de desarme que prohíbe la adquisición, producción, almacenamiento y utilización de minas antipersona. Como un feliz homenaje a su memoria, la Campaña Internacional para Prohibir las Minas Terrestres (ICBL, por sus siglas en inglés) gana el Premio Nobel de la Paz pocos meses después de la muerte de Lady Di.

EN RESUMEN

- Diana Frances Spencer nace el 1 de julio de 1961 en Park House, en Norfolk, Sandringham. Es una de las hijas de John Spencer, vizconde de Althorp, y su primera esposa Frances. Crece rodeada por sus dos hermanas Sarah y Jane y su hermano menor Charles. Otro niño, John, nace en 1960, un año antes del nacimiento de Diana, pero muere prematuramente.
- Cuando el abuelo paterno de Diana fallece en 1975, su padre John Spencer hereda el título de conde. Entonces, Diana se convierte en *lady* Diana Spencer, pronto llamada «Lady Di» por la prensa española. Un año después, en 1976, el conde Spencer se casa con Raine McCorquodale después de divorciarse de la madre de Diana en 1968. La familia Spencer se muda a Althorp.
- Después de asistir a la escuela privada de Silfield en Gayton, en el condado de Norfolk, Diana continúa y completa su educación en el Instituto Alpino de Videmanette, en Suiza. Luego regresa a Londres, donde realiza una

gran variedad de trabajos, incluyendo el de niñera para una familia estadounidense o el de maestra de preescolar en la Young England School en Pimlico.

- Diana conoce al príncipe Carlos por primera vez en 1977. Vuelven a verse en el verano de 1980 y, unos meses después, Diana es invitada a la residencia escocesa de la familia real para conocer a la familia de Carlos. Su compromiso se hace oficial el 24 de febrero de 1981, después de haber permanecido en secreto durante algún tiempo.
- El 29 de julio de 1981, Diana y el príncipe de Gales, heredero de la Corona británica, contraen matrimonio. La boda se celebra en la catedral de San Pablo en Londres. A través de esta unión, Diana se convierte en su alteza real la princesa de Gales, condesa de Chester, duquesa de Cornualles, duquesa de Rothesay, condesa de Carrick, baronesa de Renfrew, señora de las Islas y princesa de Escocia.
- En 1982, un año después de su matrimonio, la princesa de Gales da a luz a su primer hijo, Guillermo. Este será seguido por un hermano pequeño, Enrique, conocido como Harry, en 1984.

- Además de sus numerosas visitas oficiales, Diana realiza misiones humanitarias a través de las diversas asociaciones que patrocina. Se implica de lleno en la lucha contra el sida y la erradicación de las minas antipersona.
- Después de numerosos contratiempos matrimoniales, la pareja real decide terminar la relación en buenos términos en 1992.
- El divorcio entre la princesa y el príncipe de Gales se hace oficial el 28 de agosto de 1996. Diana pierde su título de alteza real, pero conserva el de princesa de Gales.
- Un año después, la princesa Diana fallece a los 36 años. Esta trágica muerte se debe a un accidente de tráfico en un túnel del puente del Alma en París en el que también perderán la vida Dodi al Fayed, compañero sentimental de Diana, y el conductor del automóvil.

¡Tu opinión nos interesa!
¡Deja un comentario en la página web de tu librería en línea,
y comparte tus favoritos en las redes sociales!

PARA IR MÁS ALLÁ

FUENTES BIBLIOGRÁFICAS

- des Cars, Jean. 2014. *La saga des grandes dynasties*. París: Éditions Perrin.

- des Cars, Jean. 2012. *La saga des reines*. París: Éditions Perrin.

- des Cars, Jean. 2011. *La saga des Windsor. De l'Empire britannique au Commonwealth*. París: Éditions Perrin.

- Davies, Nicholas. 1997. *Diana, la princesse abandonnée, 1961-1997*. Traducido al francés por Mimi e Isabelle Perrin. París: l'Archipel.

- Davies, Nicholas y Anne Leurot. 1998. *Diana, la princesse qui voulait changer le monde*. Montreal: Archipel.

- The Telegraph, "Diana, Princess of Wales". Consultado el 13 de diciembre de 2017. http://www.telegraph.co.uk/news/newstopics/diana/

- Martin, Ralph G. y Serge Quadruppani. 1986. *Charles et Diana*. París: Presses de la Renaissance.

- Biography, "Princess Diana Biography", 2015. Consultado el 13 de diciembre de 2017. http://www.biography.com/people/

princess-diana-9273782

- Deseret News. 1990. "Princess Diana Tours Aids Home For Youngsters". *Deseret News*. 6 de octubre. Consultado el 13 de diciembre de 2017. http://www.deseretnews.com/article/125531/PRINCESS-DIANA-TOURS-AIDS-HOME-FOR-YOUNGSTERS.html?pg=all

- Servat, Henry y Cyrille Boulay. 1998. *Princesses de légende: Sissi, Astrid, Wallis, Rita, Margaret, Soraya, Ira, Grace, Paola, Diana*. París: Albin Michel.

- Página web de la familia real británica, "The Royal Family name". Consultado el 13 de diciembre de 2017. https://www.royal.uk/royal-family-name

FUENTES COMPLEMENTARIAS

- Bassets, Marc. 2017. "Últimas horas con Diana". *El País*. 31 de agosto. Consultado el 12 de diciembre de 2017. https://elpais.com/internacional/2017/08/30/actualidad/1504073093_380525.html

- Bern, Stéphane. 1998. *God save the Queen! Cinquante ans de tempête chez les Windsor*. París: Michel Lafon.

- Coward, Rosalind. 2007. *Diana. Histoire d'une princesse*. Issy-les-Moulineaux: White Star Éditions.

- Croussy, Guy. 1991. *Les silences de Lady Di*. París: Denoël.

- Graham, Tim y Tom Corby. 1997. *Diana, princesse de Galles. L'album du souvenir*. París: Solar.

- Kurz, Martine y Christine Gauthey. 1997. *Diana, princesse du monde*. París: La Martinière.

- Morton, Andrew. 1992. *Diana, sa vraie histoire*. Traducido al francés por Édith Ochs, Claude Nesle y Louise Lenormand. París: Orban.

- Página web oficial de la residencia familiar de los Spencer en Althorp. Consultado el 13 de diciembre de 2017. http://spencerofalthorp.com/

- Weber, Patrick. 2007. *Diana. Princesse brisée*. París: Timée Éditions.

FUENTES ICONOGRÁFICAS

- Lady Di en 1982. La imagen reproducida está libre de derechos.

- Barbara Cartland en 1987. La imagen reproducida está libre de derechos.

- El príncipe y la princesa de Gales se reúnen con el presidente estadounidense Ronald Reagan y su esposa, Nancy. La imagen reproducida está libre de derechos.

- Retrato oficial de Margaret Thatcher. La imagen reproducida está libre de derechos.

- Contraportada que contiene el vinilo de la grabación de la boda, realizada por la BBC. La imagen reproducida está libre de derechos.

- Los príncipes de Gales de vista en Alemania en 1987. La imagen reproducida está libre de derechos.

- Lady Di en la portada de *Vogue* en mayo de 1993. La imagen reproducida está libre de derechos.

- Fotografía de la princesa como icono de moda para la revista *Vanity Fair*. La imagen reproducida está libre de derechos.

- Lady Di y la Madre Teresa. La imagen reproducida está libre de derechos.

- Memorial de la muerte de Diana y Dodi en Harrods, construido en 1998 por el padre de Dodi, Mohamed al Fayed, entonces dueño de los grandes almacenes de Londres. La imagen reproducida está libre de derechos.

- Los británicos se congregan para asistir a la boda de Kate y Guillermo. La imagen reproducida está libre de derechos.

PELÍCULAS Y DOCUMENTALES

- *La reina*. Dirigida por Stephen Frears, con Helen Mirren, Michael Sheen y Alex Jennings. Reino Unido, Francia e Italia: Pathé Pictures International, Granada Films, Pathé Renn Productions, France 3 Cinéma, Canal+, BIM Distribuzione, Future Films y Scott Rudin Productionsume-Uni, 2006.

- *Lady Diana, le destin brisé d'une princesse* («Lady Diana, el trágico destino de una princesa»). Dirigido por Eudes Séméria. Francia: 2012.

- *Diana*. Dirigida por Oliver Hirschbiegel, con Naomi Watts, Naveen Andrews y Douglas Hodge. Reino Unido, Estados Unidos y Francia: Ecosse Films, Le Pacte, Scope Pictures, 2013.

LITERATURA

- Cosse, Laurence. 2004. *Le 31 du mois d'août*. Versailles: Feryane.

- Towsend, Sue. 1994. *La Reine et moi*. Francia: Seuil.

MONUMENTOS Y HOMENAJES

- *Candle in the Wind*, una canción compuesta por Elton John en 1973 en honor a Marilyn Monroe y que recupera en 1997 para homenajear a Lady Di, de la que era un buen amigo. Esta versión cosecha mucho más éxito que la original.

- Reverso de una moneda de 25 peniques que conmemora el matrimonio entre Carlos y Diana (1981).

- Fuente conmemorativa princesa de Gales. Se encuentra en Hyde Park, en Londres, y fue inaugurada por la reina Isabel II.

- Centro de exposiciones (The Stables Block) dedicado a la historia de la familia Spencer y situado en los terrenos de los Spencer en Althorp.

- Jardines conmemorativos Diana, princesa de Gales, en los jardines de Regent Centre en Kirkintilloch (Escocia).

- Memorial dedicado a la princesa Diana en forma de templo dórico. Se encuentra en Althorp, en el condado de Northamptonshire.

- Monumento Llama de la Libertad, en París. Se trata de una réplica de la llama que sujeta la estatua de la Libertad, un obsequio de los Estados Unidos a Francia para marcar la continuidad de la amistad franco-estadounidense. Se encuentra situada cerca de la plaza del Alma, encima del puente en el que tiene lugar el trágico accidente que le cuesta la vida a Lady Di. La escultura se ha convertido indirectamente en un lugar de homenaje a la princesa de Gales.

- Recorrido pedestre conmemorativo que consiste en un camino circular entre Kensington Gardens, Green Park, Hyde Park y St. James's Park, en Londres.

- Parque infantil conmemorativo Diana, princesa de Gales, situado en los Kensington Gardens, en Londres.

Made in the USA
Columbia, SC
02 April 2020